Las Lecturas ELI son una completa gama de publicaciones para lectores de todas las edades, que van desde apasionantes historias actuales a los emocionantes clásicos de siempre. Están divididas en tres colecciones: Lecturas ELI Infantiles y Juveniles, Lecturas ELI Adolescentes y Lecturas ELI Jóvenes y Adultos. Además de contar con un extraordinario esmero editorial, son un sencillo instrumento didáctico cuyo uso se entiende de forma inmediata. Sus llamativas y artísticas ilustraciones atraerán la atención de los lectores y les acompañarán mientras disfrutan leyendo.

El Lazarillo de Tormes

Reducción lingüística, actividades y reportajes
de Cristina Bartolomé Martínez
Ilustraciones de Sara Colautti

LECTURAS ELI JÓVENES Y ADULTOS

El Lazarillo de Tormes
Reducción lingüística, actividades y reportajes de Cristina Bartolomé Martínez
Control lingüístico y editorial de Adriana Consolo
Ilustraciones de Sara Colautti

ELI Readers
Ideación de la colección y coordinación editorial
Paola Accattoli, Grazia Ancillani, Daniele Garbuglia (Director de arte)

Proyecto gráfico
Sergio Elisei

Compaginación
Enea Ciccarelli

Director de producción
Francesco Capitano

Créditos fotográficos
Shutterstock, Marka

Font utilizado 11,5/15 puntos Monotipo Dante

P.O. Box 6
62019 Recanati MC
Italia
T +39 071750701
F +39 071977851
info@elionline.com
www.elionline.com

Primera edición Febrero 2011

Impreso en Italia por Tecnostampa Recanati – ERA 204.01
ISBN 978-88-536-0659-4

www.elireaders.com

Sumario

6	Personajes principales	
8	Actividades de Pre Lectura	
10	Prólogo	**La vida del Lazarillo de Tormes**
11	Tratado primero	**Lázaro cuenta su vida y quiénes fueron sus padres**
22	Actividades	
26	Tratado segundo	**Cuenta cómo empezó Lázaro a trabajar para un clérigo**
34	Actividades	
38	Tratado tercero	**Cuenta cómo empezó Lázaro a trabajar para un escudero**
50	Actividades	
54	Tratado cuarto	**Cuenta cómo empezó Lázaro a trabajar con un fraile**
55	Tratado quinto	**Cuenta cómo empezó Lázaro a trabajar con un buldero**
62	Actividades	
64	Tratado sexto	**Cuenta cómo empezó Lázaro a trabajar con un capellán**
65	Tratado séptimo	**Cuenta cómo empezó Lázaro a trabajar con un alguacil**
69	Actividades	
72	Reportaje	**La España del s.XVI**
76	Reportaje	**Contexto literario**
78	Test final	
80	Programa de estudios	

Estos iconos señalan las partes de la historia que han sido grabadas:

empezar  **parar** 

Personajes
Lázaro de Tormes
El clérigo
El escudero

principales
El buldero
El arcipreste de San Salvador
El ciego

Vocabulario

1 Completa el siguiente fragmento con las palabras del recuadro y así empezarás a conocer un poco al Lazarillo de Tormes.

murió • durante • allí • sacos • motivo • luchar • arrestaron embarazada • robar • ~~dentro~~ • padre • ejército

Me llamo Lázaro de Tormes, hijo de Tomé González y de Antona Pérez. Nací *dentro* del río Tormes, por este ________ tomé el sobrenombre. Lo que pasó es que mi ________ fue molinero ________ más de quince años en un molino de harina que está en el río Tormes. Mi madre, ________ de mí, estaba una noche en el molino. ________ mismo se puso de parto y dio a luz. Así que podemos decir que nací en el río. Cuando tenía ocho años, acusaron a mi padre de ________ el grano de los ________ de la gente que iba al molino. Por eso lo ________ y confesó. En aquella época, se organizó un ________ para luchar contra los moros, y mi padre, que estaba desterrado por el delito que he mencionado, fue a ________ como criado de un caballero, y allí ________ .

2 En el texto van a aparecer algunas profesiones que a lo mejor no conoces, ¿puedes relacionar cada profesión con la descripción adecuada?

1 [e] molinero
2 [ ] criado
3 [ ] mozo de caballos
4 [ ] guía
5 [ ] médico
6 [ ] vendimiador

a persona que enseña el camino a otras personas
b persona que recoge la uva
c persona que intenta curar las enfermedades de la gente
d persona que trabaja para otra persona
~~e~~ persona que trabaja en un molino
f hombre que cuida los caballos de otra persona

3 ¿Cuál es el contrario de los siguientes adjetivos? Búscalo en el recuadro.

acompañado • peor • vacío • avaro • ~~pobre~~ • tonto • compasivo imprudente • breve • vanidoso • distraído • débil

rico	*pobre*	mejor	________
listo	________	humilde	________
generoso	________	fuerte	________
prudente	________	extenso	________
lleno	________	atento	________
cruel	________	solo	________

Expresión escrita

4 Tomando como modelo la presentación que Lázaro hace de sí mismo en el primer párrafo, preséntate empezando como él lo hace: *Me llamo..., hijo/a de...*

Prólogo

La vida del Lazarillo de Tormes

Quiero contar estas cosas tan especiales que nadie conoce. No quiero que se olviden, porque seguro que algunas personas disfrutarán leyéndolas. De cualquier libro, aunque no sea muy bueno, se pueden aprender cosas. Y es que los gustos no son iguales para todo el mundo. Esto me hace pensar que no hay que romper ni tirar nunca nada de lo que se escribe, es mejor enseñárselo a todo el mundo porque seguro que hay alguien que puede obtener provecho. Escribir supone un gran trabajo y los escritores no quieren escribir para ellos mismos, ni tampoco por dinero. Para ellos la mejor recompensa es la admiración de los lectores. Y todo funciona igual: yo no soy mejor que nadie. Escribo estas cosas sin importancia con un estilo humilde; si les gustan a los lectores, me alegraré mucho. Es la historia de cómo vive un hombre en medio de multitud de desgracias, peligros y adversidades.

Así que le envío a Vuestra Merced* este libro. Lo he escrito en un estilo pobre, porque no sé escribir mejor. Vuestra Merced me pide que le relate por extenso todo lo que me ha sucedido en la vida. Por eso creo que es mejor empezar por el principio. Así podrá conocer todo sobre mí. Además en el mundo hay muchos nobles y ricos porque heredaron este estatus. Leyendo este libro sabrán que tienen más mérito los que no tuvieron suerte en la vida y, a pesar de ello, consiguieron una buena posición.

Vuestra Merced fórmula de cortesía antigua

Tratado primero

Lázaro cuenta su vida y quiénes fueron sus padres

▶ 2 Antes de nada, quiero decirle a Vuestra Merced que me llamo Lázaro de Tormes y soy hijo de Tomé González y de Antona Pérez. Nací dentro del río Tormes, por este motivo tomé el sobrenombre*. Lo que pasó es que mi padre fue molinero durante más de quince años en un molino de harina que está en el río Tormes. Una noche mi madre, embarazada de mí, estaba en el molino. Allí mismo se puso de parto y dio a luz. Así que podemos decir que nací en el río.

Cuando tenía ocho años, acusaron a mi padre de robar el grano de los sacos de la gente que iba al molino. Por eso lo arrestaron y confesó. En aquella época, se organizó un ejército para luchar contra los moros. Mi padre, que estaba desterrado* por el delito* que he mencionado, fue a luchar como criado de un caballero. Allí murió con su señor.

Mi madre se quedó viuda y sin protección, así que decidió acercarse a los ricos. Se vino a vivir a la ciudad y alquiló una casa. Preparaba comidas y lavaba la ropa a algunos mozos* de caballos de un noble de la ciudad.

Conoció a un hombre moreno, uno de los que cuidaban a los animales. Éste empezó a venir a nuestra casa y algunas veces se quedaba a dormir. Otras veces venía con la excusa de comprar huevos y entraba

sobrenombre nombre con que se distingue especialmente a una persona
desterrado el que tiene que abandonar su tierra y no volver
delito acción que está fuera de la ley
mozos jóvenes

en casa. Al principio me daba miedo por el color y la mala cara. Después entendí que desde que él venía a casa había más comida. También había leña* en invierno para calentarnos y no pasar frío. Con el tiempo, mi madre me dio un hermanito negro. Era muy bonito y yo jugaba con él y ayudaba a cuidarle.

Mi hermanito nos veía a mi madre y a mí muy blancos y a su padre no, por eso le tenía miedo.

Recuerdo que una vez estaba mi padrastro jugando con él y el pequeño se escapaba diciendo:

—¡Mamá, el coco*!

Y su padre se reía. Yo, aunque era solo un niño, pensé: «¡Probablemente en el mundo hay muchas personas que tienen miedo de los demás porque no se ven a ellos mismos!».

Por mala suerte, el noble señor dueño de los caballos se enteró de la relación del negro -que se llamaba Zaide- con mi madre. También supo que aquél robaba todo lo que podía para ayudarnos: comida, leña, mantas... Hay muchas personas que roban para mantener a la gente que quieren. Esto es lo que hacía el Zaide por nosotros, robaba por amor. Se demostró que todas las acusaciones contra mi padrastro eran verdaderas. A mi me preguntaron y me amenazaron y, como era un niño, conté todo lo que sabía por miedo.

A mi padrastro le pegaron y a mi madre la castigaron. Desde entonces no pudo entrar nunca más en la casa del noble y el Zaide no pudo entrar nunca más en casa de mi madre.

La pobre no tuvo más remedio que obedecer el castigo. Para evitar peligros y no dar que hablar a la gente, se fue a trabajar como criada al mesón* de la Solana. Allí, con muchos esfuerzos, se crió mi

leña madera cortada que se utiliza como combustible para el fuego

coco fantasma con que se mete miedo a los niños

mesón establecimiento donde se sirven comidas y bebidas

hermanito. Yo me convertí en un buen mozo y hacía todo lo que me mandaban: llevaba vino a los clientes, velas y todo lo que me pedían.

En aquel tiempo, vino a alojarse* al mesón un ciego. Pensó que yo podía ser bueno como guía y así se lo dijo a mi madre. Mi madre le contó que yo era huérfano y le pidió que me tratara bien. Él respondió que me trataría como a un hijo.

Al cabo de unos días nos marchamos de Salamanca y fui a despedirme de mi madre. Los dos lloramos y ella me dijo:

—Hijo, ya sé que no te veré más. Intenta ser bueno y que Dios te guíe. Te he criado y te dejo con un buen amo. Ahora tienes que valerte por ti mismo.

Y así me fui con mi amo, que me estaba esperando. A la salida de Salamanca hay un puente que tiene a la entrada un animal de piedra en forma de toro. Cuando llegamos allí el ciego me dijo:

—Lázaro, acerca el oído a este toro y oirás un ruido fuerte dentro de él.

Yo, como era muy inocente, le creí y me acerqué. Cuando sintió que mi cabeza estaba cerca de la piedra, me dio un gran golpe en el toro. Fue un golpe tan fuerte que el dolor me duró más de tres días. Él me dijo:

—Tonto, ¡aprende! El mozo del ciego tiene que saber más que el diablo.

Y se rió mucho. En aquel momento me desperté de la inocencia infantil y me convertí en un hombre. Pensé: «Es verdad lo que dice el ciego; tengo que estar muy atento y vigilar. Ahora estoy solo y tengo que aprender a cuidar de mí mismo».

alojarse hospedarse en algún lugar que no es tu casa

Comenzamos nuestro camino y a los pocos días me enseñó el lenguaje de los ciegos. Al ver que yo era ingenioso, se alegró y me dijo:

—No te puedo dar oro ni plata, pero te daré muchos consejos para vivir.

Y así fue: Dios me dio la vida, y el ciego me enseñó a vivirla. Quiero decirle a Vuestra Merced que mi ciego es la persona más astuta y prudente del mundo. En su trabajo era como un águila: sabía muchas oraciones de memoria, tenía un tono de voz bajo y tranquilo, y una cara humilde. Además, tenía otras mil maneras de sacar el dinero a la gente. Decía que conocía oraciones para todo: para mujeres que no podían tener hijos, para las que estaban de parto, para las mujeres que querían más amor de sus maridos. Adivinaba si las embarazadas tendrían un niño o una niña; decía que era mejor médico que Galeno. Tenía un remedio para todas las enfermedades. Así que todo el mundo le buscaba, especialmente las mujeres, que creían todos sus consejos. Ganaba más dinero en un mes que cien ciegos en un año.

Pero también quiero que sepa Vuestra Merced que, a pesar de tener tanto dinero, era el hombre más avaro que he visto. Era tan avaro que me mataba de hambre, no me daba ni la mitad de la comida necesaria. Pero yo, con mis artes, siempre le engañaba para conseguir más. Voy a contar algunas de las burlas* que le hacía, aunque no todas me salieron bien.

El ciego llevaba el pan y las otras cosas en un fardel* que cerraba con una llave. Cuando metía o sacaba las cosas, ponía tanto cuidado que era imposible robarle. Yo me comía lo que él me daba en un abrir y cerrar de ojos. Después, cerraba el fardel y no se preocupaba más.

burla acción o palabras para poner en ridículo a alguien

fardel saco que llevan los pobres y los caminantes para guardar sus cosas

Entonces yo descosía un lateral del fardel, cogía lo que quería y luego lo volvía a coser. De este modo no solo le robaba pan, sino también longaniza y más cosas.

Otra burla que le hacía era robarle dinero. Mi amo rezaba oraciones para solucionar los problemas de la gente y a cambio le daban monedas blancas*. Yo las cogía y se las cambiaba por medias blancas. Así que, cuando el ciego sentía por el tacto que la moneda no era una blanca decía:

—¡Desde que estás conmigo solo me dan medias blancas! Antes me daban blancas y maravedís*. ¡Tú has traído la mala suerte!

Mientras comíamos, solía* poner a su lado una jarra de vino y yo, muy rápidamente, la cogía, bebía y la devolvía a su lugar. Pero enseguida se dio cuenta de que faltaba vino. A partir de entonces tenía la jarra siempre cogida para protegerla. Yo quería seguir bebiendo, así que metía una paja* larga por la boca de la jarra y la dejaba vacía. Pero como el ciego era muy listo se ponía la jarra entre las piernas y la tapaba con la mano.

A mi me gustaba muchísimo el vino, por eso me inventé otra manera de beberlo. Hice un pequeño agujero en la base de la jarra y lo tapé con un poquito de cera. Cuando comíamos, decía que tenía frío y me metía entre las piernas del ciego para calentarme en el fuego que teníamos. Con el calor del fuego, se derretía la cera y me caía el vino en la boca. Cuando el pobre iba a beber, no había nada y se enfadaba mucho porque no entendía el porqué. Yo le decía:

—No dirá que me lo he bebido yo, no puedo porque no le quita la mano ni un momento.

blancas antigua moneda de plata
maravedís moneda antigua de menos valor que la blanca
solía hacer algo frecuentemente
paja caña delgada que sirve para beber líquidos

Tantas vueltas le dio al jarro y tanto lo tocó, que al final encontró el agujero y comprendió el engaño, pero no me dijo nada. Al día siguiente, el ciego se vengó*: mientras yo estaba distraído* y feliz bebiendo dulces tragos, dejó caer con todas sus fuerzas la jarra sobre mi boca. Verdaderamente me pareció que el cielo me había caído encima. Me dio un golpecillo tan fuerte que perdí el sentido. Muchos pedazos de la jarra se me clavaron en la cara, además se me rompieron los dientes, que nunca más he vuelto a tener.

Desde aquel día quise mal al mal ciego. Aunque me cuidaba y me mimaba vi que disfrutaba del cruel castigo. Mientras me lavaba las heridas con vino me decía sonriendo:

—¿Qué te parece Lázaro? Lo que te hizo daño, ahora te cura.

Cuando estuve mejor de mis heridas, pensé que con golpes como esos el ciego me iba a matar y quise yo abandonarle antes; pero esperé un poco, para encontrar una buena ocasión. Y, aunque yo quería perdonarle por el golpe, desde aquel momento el ciego me trataba muy mal y me pegaba mucho sin causa ni razón. Le contaba a todo el mundo la historia de la jarra para justificar los golpes que me daba.

Yo, mientras tanto, siempre le llevaba por los peores caminos para hacerle daño. Siempre le juraba que no lo hacía con maldad, sino porque no encontraba otros caminos mejores. Pero el muy traidor no me creía y me pegaba con su bastón en la nuca.

Voy a contar uno de los muchos casos que demuestran su gran inteligencia. Cuando nos marchamos de Salamanca fuimos a las tierras de Toledo, porque decía que la gente allí era más rica. Cuando

vengarse devolverle a alguien el sufrimiento o la pena causados

distraído persona que aparta fácilmente la atención de lo que hace o dice

pasábamos por un lugar llamado Almorox, había gente recogiendo uvas. Un vendimiador le dio un racimo* como limosna*. El ciego vio que estaba muy maduro y decidió comerlo. Me dijo:

—Quiero compartir contigo este racimo de uvas; los dos comeremos la misma parte. Lo dividiremos así: tú cogerás una uva y yo otra. Pero prométeme que no cogerás más de una uva cada vez. Yo haré lo mismo y así no habrá engaño.

Así comenzamos, pero el traidor enseguida empezó a coger las uvas de dos en dos. Seguramente pensó que yo hacía lo mismo. Yo no me contenté con ser igual que él y empecé a coger las uvas de tres en tres. Cuando acabamos me dijo:

—Lázaro, me has engañado. Has comido las uvas de tres en tres.

—No —dije yo—, ¿por qué piensa eso?

—¿Sabes cómo sé que las has comido de tres en tres? Porque yo las he comido de dos en dos y tú no has dicho nada.

Me reí para mí y comprendí que el ciego era muy listo.

Pero no quiero alargar la historia. Así que no contaré algunas cosas que me pasaron con mi primer amo, pero contaré para terminar el episodio de la despedida.

Estábamos en un mesón de Escalona y me dio un trozo de longaniza para asar. Luego me dio una moneda y me mandó a buscar vino. Cerca del fuego había un nabo* pequeño. No había nadie por allí y yo tenía mucha hambre. No pensé en las consecuencias, saqué la longaniza del asador y puse el nabo en su lugar. El ciego no se dio cuenta. Empezó a darle vueltas al fuego creyendo que allí estaba la longaniza.

Yo fui a buscar el vino y por el camino me comí la longaniza. Cuando volví, el pecador ciego tenía el nabo entre dos rebanadas de

racimo conjunto de uvas de un mismo tallo
limosna dinero, alimento o ropa que se da a los pobres
nabo planta comestible parecida a la patata

pan. Cuando dio un mordisco y se encontró con el nabo me dijo:

—¿Qué es esto Lazarillo?

—¡Pobre de mí! Yo he ido a por el vino. Seguro que ha sido alguien que andaba por aquí.

—No, no, no es posible. Yo no he dejado el asador.

Yo seguí negando, pero no me creyó. Se levantó y se acercó a olerme. Me metió la nariz en la boca y casi me ahoga*. Su nariz y el miedo me hicieron sentir mal y la longaniza salió otra vez por mi boca.

Al ciego le dio mucha rabia, no me mató gracias a que llegó mucha gente al oír el ruido. El ciego empezó a contar mis desastres a todo el mundo: lo de la jarra, lo del racimo de uvas y éste. Y todos se reían mucho porque el ciego contaba las historias con mucha gracia.

Nos hicimos amigos de la mesonera y los que estaban allí. Ellos me lavaron la cara y la garganta con vino y, mientras tanto, el ciego decía:

—Este mozo gasta en un año más vino en lavarse, del que yo me bebo en dos.

Yo ya tenía pensado dejarle y con ésta última jugarreta* me decidí.

Al día siguiente salimos a pedir limosna por el pueblo. Llovía mucho desde la noche anterior. Íbamos caminando por debajo de unos portales para no mojarnos. Empezaba a anochecer.

—Lázaro, esta lluvia no para. Pronto será de noche y llueve más. Vamos a la posada sin perder tiempo.

Yo le dije:

—Tío, el arroyo va muy lleno, si quiere puedo buscar un sitio mejor para cruzar.

Le pareció bien y me dijo:

—Eres listo, por eso te quiero bien. Llévame a un sitio más estrecho.

ahogarse sentir que no puedes respirar

jugarreta mala acción que se le hace a alguien intencionadamente

Estamos en invierno y no es bueno llevar los pies mojados. Yo vi mi oportunidad, le llevé hacia un pilar que estaba en la plaza y le dije:

—Tío, éste es el lugar más estrecho.

Él me creyó y me dijo:

—Ponme en buen sitio y salta tú.

Yo le puse enfrente del pilar, salté, me puse detrás del pilar y le dije:

—¡Vamos, salte!

El ciego saltó con todas sus fuerzas y dio con la cabeza en el pilar. Hizo un ruido muy fuerte y luego se cayó hacia atrás medio muerto.

—¿Pudo oler la longaniza y el poste* no? ¡Olé!¡Olé! —le dije yo.

Lo dejé junto a mucha gente que se acercó a ayudarle y me fui. Nunca más supe nada de él ni me preocupé por saberlo.

oler el poste (modismo) salvarse, salir indemne

Gramática y vocabulario

1 Completa el siguiente cuadro con la forma necesaria del Infinitivo, Presente Indicativo o Pretérito Indefinido.

Infinitivo	3ª persona Presente Indicativo	3ª persona Pretérito Indefinido
morir	*muere*	*murió*
	viene	
		vio
	ríe	
poder		
	dice	
		quiso
poner		
	hace	
dar		

2 De las siguientes frases, seis son incorrectas. Encuentra cuáles son y corrígelas.

Me dio un golpecillo ~~tanto~~ fuerte que perdí el sentido. *tan*

1 En aquella época, se organizó un ejército por luchar contra los moros. ______

2 Mientras comíamos, solía poner a su lado una jarra de vino. ______

3 El ciego traía el pan y las otras cosas en un fardel. ______

4 Tenía un remedio para todo las enfermedades. ______

5 Hay muchas personas que roban para mantener a la gente que quieren. ______

6 El ciego vio que el racimo estaba mucho maduro y decidió comerlo. ______

7 Yo, como estaba muy inocente, le creí y me acerqué. ______

8 Mi amo rezaba oraciones para solucionar los problemas de la gente. ______

9 Me hice muchas heridas y el ciego me lo curó. ______

3 Marca la respuesta correcta.

El Lazarillo opina que:

a ☐ hay algunos libros tan malos que no vale la pena leerlos
b ☑ de todos los libros se puede aprender algo
c ☐ su libro gustará a todo el mundo

1 El Lazarillo dice que los escritores escriben:

a ☐ para ellos mismos
b ☐ por dinero
c ☐ por la admiración de los lectores

2 La madre del Lazarillo se dedicaba a:

a ☐ primero a preparar comidas y lavar ropa, y después fue criada en un mesón
b ☐ a cuidar los caballos de un señor noble
c ☐ era molinera

3 Castigaron al padrastro del Lazarillo por:

a ☐ robar caballos
b ☐ robar grano del molino
c ☐ robar leña y comida para el Lazarillo y su familia

4 ¿Cómo conseguía beberse el vino del ciego el Lazarillo?

a ☐ Mediante un agujero que le hizo a la jarra y que tapaba con cera
b ☐ Al Lazarillo no le gustaba el vino
c ☐ Le dio un golpe muy fuerte al ciego y le robó el vino

5 ¿Por qué se enfadó el ciego con el Lazarillo en el mesón de Escalona?

a ☐ Porque se bebió todo su vino
b ☐ Porque se comió su longaniza
c ☐ Porque lo dejó solo bajo la lluvia

6 Al final del capítulo, el Lazarillo hace saltar al ciego y éste...

a ☐ se cae al suelo
b ☐ se cae al río
c ☐ se da un fuerte golpe contra un pilar.

4 **Las aventuras del Lazarillo empiezan en Salamanca. Imagina que estás pasando tus vacaciones en esta ciudad española estudiando un curso intensivo de español. Escribe un correo electrónico a una amiga madrileña que conociste en el avión explicándole:**
- **cómo es la ciudad**
- **cómo es el curso**
- **a quién has conocido**
- **cómo es tu rutina diaria**

(Número de palabras: entre 70 y 80)

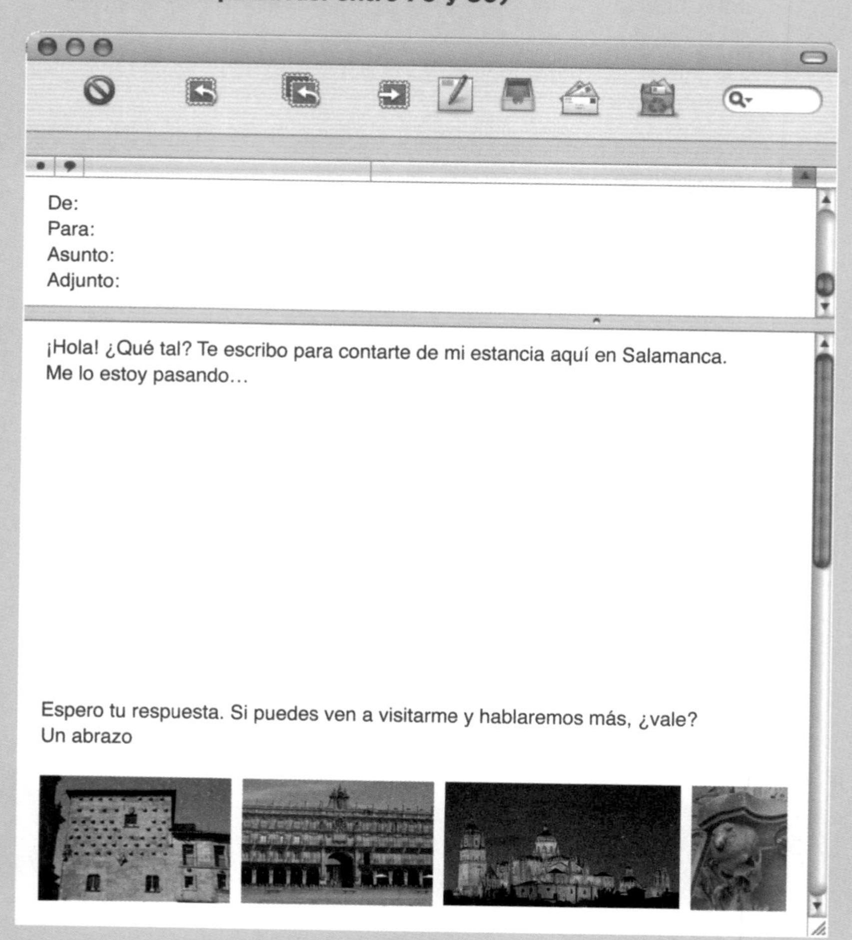

Vocabulario

5 Completa este esquema con las palabras de las definiciones.

1 Conjunto de uvas de un mismo tallo.
2 Sentir que no puedes respirar.
3 Mala acción que se le hace a alguien intencionadamente.
4 Acción que esta fuera de la ley.
5 Fantasma con que se mete miedo a los niños.
6 Devolverle a alguien el sufrimiento o la pena.

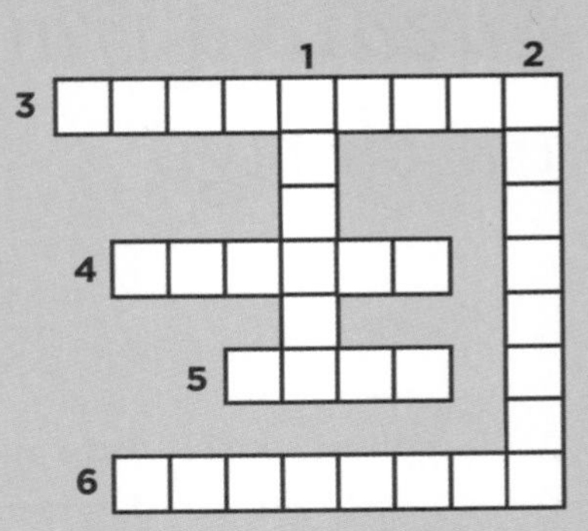

ACTIVIDAD DE PRE LECTURA

Comprensión auditiva

3

6 Escucha atentamente el principio del siguiente tratado y di si las siguientes frases son verdaderas (V) o falsas (F).

V F

El Lazarillo se marchó a otro pueblo porque no se sentía seguro. 

1 Su siguiente amo fue un clérigo que necesitaba ayuda para la misa. 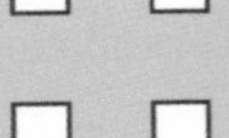

2 El clérigo era un hombre muy generoso. 

3 El clérigo tenía la casa llena de comida. 

4 El Lazarillo tenía permiso para comer todo lo que quería. 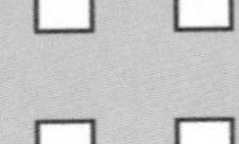

5 El Lazarillo entendió que se iba a morir si no encontraba una solución a su situación. 

6 El clérigo era un hombre muy despistado y era muy fácil robarle. 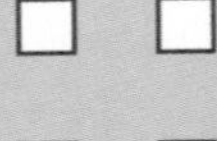

Cuenta cómo empezó Lázaro a trabajar para un clérigo*

3 Al día siguiente me fui a otro pueblo llamado Maqueda, porque no me sentía seguro allí. Por desgracia, conocí a un clérigo mientras pedía limosna. Necesitaba un mozo para ayudarle en la misa* y empecé a trabajar para él. Aunque me maltrataba, el ciego me enseñó mil cosas buenas y una era ayudar en la iglesia.

Pasé de un mal amo a otro peor. Comparado con el clérigo, el ciego era la generosidad en persona.

Tenía una vieja arca* cerrada con una llave que llevaba siempre colgada. Cuando llegaba el pan de la iglesia, lo metía allí dentro y cerraba otra vez el arca. Y no había nada de comer en toda la casa. Normalmente en todas las casas hay algo de comida: un poco de tocino, algún queso, un trozo de pan viejo. Solamente había unas cebollas en una habitación cerrada con llave en la parte de arriba de la casa. Yo podía comerme una cebolla cada cuatro días. Cuando le pedía la llave para ir a buscarla, si había alguien delante, me decía:

—Tómala y devuélvemela enseguida.

Al oírle se podía pensar que la habitación estaba llena de cosas ricas. Pero, como ya he dicho, no había nada más que cebollas. Y el clérigo las tenía contadas, así que no podía coger más de las que me tocaban. En definitiva, me moría de hambre.

Pero, aunque conmigo no era nada generoso, con él mismo se

clérigo hombre que ha recibido las ordenes sagradas
misa el rito sagrado de la religión católica
arca caja grande de madera, baúl

comportaba mucho mejor. Comía carne para comer y para cenar. Compartía conmigo la sopa, pero la carne, ¡no me daba nada! Sólo un poco de pan. Los sábados comía carnero y me daba los huesos diciendo:

—Toma, come, triunfa, que el mundo es tuyo; ¡vives mejor que el Papa!

Pasé con él tres semanas y me quedé muy delgado. Tenía tanta hambre que me sentía muy débil. Vi claramente que me moriría si Dios y mi inteligencia no ponían remedio. Pero no podía usar mis trucos, porque allí no había nada que robar. Al ciego podía engañarle porque no veía, pero el clérigo sí. Cuando estábamos en misa lo veía todo. Tenía un ojo en la gente de la iglesia y otro en mis manos. Contaba todas las monedas que la gente daba. Nunca le pude robar una moneda durante todo el tiempo que viví con él, mejor dicho, que morí con él. El vino que sobraba* de la misa lo metía en su arca y le duraba toda la semana. Así que nunca le llevé vino de la taberna. Para ocultar lo tacaño* que era me decía:

—Mira chico, yo no exagero comiendo y bebiendo porque los sacerdotes deben ser muy moderados.

Pero el muy avaro mentía, porque cuando íbamos a rezar a los entierros y nos daban de comer, comía y bebía como un lobo.

Con perdón de Dios, en aquella época yo deseaba la muerte de mucha gente, porque en los entierros yo podía comer. Deseaba y le pedía a Dios la muerte de alguien todos los días para poder comer. Y cuando íbamos a visitar a los enfermos o a dar la Extremaunción*, todas las personas que estábamos allí teníamos que rezar por el enfermo. Pero yo nunca le pedía a Dios la curación del enfermo. Estuve allí unos

sobrar cuando hay más de cuanto se necesita
tacaño miserable, que comparte con mucha dificultad lo que tiene
Extremaunción en la religión católica, sacramento mediante el cual se prepara a aquellos que están a punto de morir

seis meses y murieron veinte personas. Creo que las maté yo, o mejor dicho, las mató Dios porque yo se lo pedí. Pienso que Dios se dio cuenta de que cada muerte me daba vida a mi porque podía comer. Pero los días en que no había muertes, volvía a pasar mucha hambre. A veces deseé morir yo también.

Pensé muchas veces en dejar a aquel amo tan tacaño, pero no lo hice por dos motivos. El primero es que como comía muy poco, estaba muy débil y tenía miedo de no resistir. Y el otro, es que pensaba: «He tenido dos amos: el primero me mataba de hambre. Lo dejé y encontré a éste que me tiene casi en la sepultura. Así que si me voy de aquí y encuentro otro aún peor, ¿me moriré?».

Estaba yo con estas penas cuando llegó a mi puerta un calderero* que me pareció un ángel enviado por Dios. Me preguntó si tenía algo que reparar y yo le dije:

—He perdido una llave de este arca, mire si tiene alguna para abrirla.

Empezó a probar todas las llaves que llevaba. Inesperadamente, una de las llaves abrió el arca y allí estaban todos los panes. Entonces le dije:

—Yo no tengo dinero para pagarle, pero puede coger un pan como pago.

Él tomó el pan que más le gustó, me dio mi llave y se fue muy contento. Yo no toqué nada del arca por el momento para no desvelar* la falta. Llegó el miserable de mi amo y, por suerte, no se dio cuenta del pan que el calderero se había llevado.

Cuando salió de casa al día siguiente, abrí mi paraíso de panes. Me comí un pan rápidamente y cerré el arca. Entonces comencé a barrer la casa muy alegre: ¡había encontrado una solución a mi triste vida!

calderero vendedor ambulante que además reparaba cosas varias de la casa

desvelar descubrir algo que se mantiene secreto

Pero no me duró mucho aquella felicidad. A los tres días el clérigo empezó de improviso* a mirar dentro del arca y a contar los panes una y otra vez. Al cabo de un rato de contar me dijo:

—Tengo este arca muy controlada, pero me parece que faltan panes. A partir de hoy, para eliminar cualquier sospecha, voy a contarlos bien: quedan nueve y un pedazo.

Sus palabras me atravesaron el corazón. Solo de pensar en volver a pasar hambre, me empezó a doler el estómago.

Salió de casa y yo abrí el arca y conté los panes, por si se había equivocado. Pero su cuenta era correcta.

El hambre crecía y yo abría y cerraba el arca todo el tiempo para mirar los panes. Pero Dios, que ayuda a los pobres, me ayudó a pensar en una solución: «Este arca es vieja y tiene pequeños agujeros. Se puede pensar que entran los ratones y se comen el pan. No conviene sacar un pan entero porque el amo notará la falta».

Y comencé a coger migas* de tres o cuatro panes. Después me las comí y me consolé* un poco. Cuando él vino a comer, abrió el arca. Vio los panes comidos y pensó que los ratones eran responsables del daño. Miró el arca de arriba abajo, vio unos agujeros y pensó que habían entrado por allí. Me llamó y me dijo:

—¡Lázaro, mira quien ha pasado esta noche por nuestro pan!

Yo me hice el sorprendido y le pregunté qué podía ser eso.

—¿Qué va a ser? —dijo él—. Ratones.

Nos pusimos a comer y tuve suerte. Me dio más pan que de costumbre porque quitó con un cuchillo toda la parte que creyó que habían mordido los ratones.

—Cómete esto, el ratón es un animal muy limpio.

Luego me llevé otro susto*, porque cerró todos los agujeros del arca con trozos de madera. Cuando acabó dijo:

de improviso de repente, sin avisar antes
migas trocitos pequeños de pan
consolarse hacer menos pesada la pena de alguien
susto cuando algún suceso produce una sensación repentina de miedo

—Ahora, ratones traidores, tendréis que cambiar de casa.

Cuando salió de casa fui a ver el arca y comprobé que había tapado todos los agujeros. Abrí con mi llave, vi los dos o tres panes empezados y todavía cogí algunas migas. Yo tenía mucha hambre y pasaba el día buscando una solución a mi problema. Dicen que el hambre ayuda a ser más ingenioso y pienso que en mi caso era cierto. Un día, mientras mi amo dormía, me levanté muy despacio y sin hacer ruido. Con un cuchillo empecé a hacer un agujero en el arca. La madera era muy vieja y estaba blanda y carcomida*, así que fue muy fácil. Después abrí muy despacio el arca y comí un poco del pan partido. Cerré de nuevo y volví a mi cama.

Al día siguiente, vio mi amo el daño y se enfadó mucho con los ratones. Buscó otra vez clavos y madera y tapó el agujero. Todos los agujeros que él tapaba durante el día, yo los destapaba por la noche. Así pasamos unos días.

Al final, mi amo vio que el arca no tenía remedio y decidió poner una ratonera* dentro. Para atraer a los ratones ponía trozos de queso en la ratonera. Esto fue una gran ayuda para mi, porque seguía comiéndome el pan y también me comía el queso.

Como el ratón no caía, pero alguien se comía el pan y el queso, el clérigo estaba muy enfadado. Preguntó a los vecinos qué podía ser. Un vecino le dijo:

—Debe de ser una culebra, recuerdo que en vuestra casa había una.

Esta explicación puso muy nervioso a mi amo y desde entonces dormía mal. Cualquier ruido que oía pensaba que podía ser la culebra. Se levantaba y daba golpes en el arca con un palo de madera para asustarla. Hacía tanto ruido que despertaba a los vecinos y no me

carcomido cuando la madera está comida por un pequeño insecto llamado carcoma

ratonera trampa para ratones

dejaba dormir. Así que la «culebra» no se atrevía* a comer de noche y comía de día, mientras el amo estaba en la iglesia.

Yo guardaba la llave del arca debajo de mi cama. Pero tuve miedo de pensar que podía encontrar la llave. Porque mientras buscaba la culebra por las noches, removía todo. Así que cada noche me metía la llave en la boca. Pero una noche tuve mala suerte: estaba durmiendo con la boca abierta y la llave se colocó de una manera extraña. Así que el aire que yo soplaba salía por el agujero de la llave y ésta silbaba*. Al oírlo mi amo, creyó que era el silbido de la culebra.

Se levantó con el palo de madera y se acercó a mí muy despacio para no espantar a la culebra. Pensó que la culebra se había metido en mi cama, a mi lado, así que levantó el palo y me dio un golpe tan grande en la cabeza que me dejó inconsciente. Fue a buscar una luz porque sintió que me había dado a mí. Entonces me vio allí, muy herido y con la llave todavía en la boca. Cuando vio que la llave era igual que la suya, la probó y entendió todo. Al cabo de tres días desperté con la cabeza llena de vendas y dije:

—¿Qué es esto? —y me contestó el cruel clérigo—. Ya he cazado a los ratones y a las culebras.

Llegaron a visitarme los vecinos y, al verme mejor, empezaron de nuevo a contar y a reír mis aventuras. A mi no me hacían gracia*, me daban mucha pena*. Me dieron de comer y, al cabo de quince días, me levanté casi curado. Al día siguiente, mi amo me cogió de la mano, me sacó de casa y me dijo:

—Lázaro, a partir de hoy ya no estás a mi servicio: busca un amo y vete con Dios, yo no quiero conmigo un sirviente tan listo.

Después se metió en su casa y cerró la puerta.

atreverse tener el valor de realizar alguna acción arriesgada
silbar sonido que produce el aire cuando pasa por entre los labios
hacer gracia provocar risa o simpatía
dar pena provocar tristeza

ACTIVIDADES

Lectura

1 Une estas preguntas sobre el texto con la respuesta adecuada.

[b] ¿En qué ayudaba el Lazarillo al clérigo?
1 [ ] ¿Dónde guardaba el clérigo la llave del arca?
2 [ ] ¿Por qué deseaba el Lazarillo ir a muchos entierros?
3 [ ] ¿Cómo consiguió el Lazarillo una llave del arca?
4 [ ] Según el clérigo, ¿quién se comía el pan?
5 [ ] ¿Por qué pegó el clérigo al Lazarillo con un palo?
6 [ ] ¿Cuál era el principal problema del Lazarillo?

a Porque allí les daban de comer.
~~b~~ En la misa.
c La llevaba colgada.
d Se la dio un calderero a cambio de un pan.
e Porque pensaba que era una culebra.
f Los ratones.
g El hambre.

Gramática y vocabulario

2 Completa el siguiente fragmento con las preposiciones del recuadro. Algunas de ellas pueden aparecer varias veces.

con • en (2) • desde • a (2) • para • bajo • de • dentro de (2) • por

Querido diario:
Tengo un nuevo amo. Ahora vivo ...... un clérigo y le ayudo...... la misa. ...... toda su casa no hay nada de comer. ...... que vivo con él me he adelgazado mucho. He empezado...... pensar en una solución...... mi problema, pero no se me ocurre nada. El clérigo guarda la comida ...... un arca, pero lleva siempre la llave colgada ...... la ropa. ...... arca está la solución, ... este motivo tengo que encontrar la manera ...... abrirla. Bueno diario, me voy...... la cama, ¡buenas noches!

3 Elige la opción adecuada para formar oraciones comparativas.

El segundo amo del Lazarillo era _peor_ _que_ el primero.
a ☐ malo/que b ☑ peor/que c ☐ peor/de

1 Aquél día el clérigo me dio _____ pan _____ de costumbre.
a ☐ más/que b ☐ más/como c ☐ tanto/que

2 Pensé que mi segundo trabajo sería _____ _____ el primero.
a ☐ peor/de b ☐ tan/bueno c ☐ mejor/que

3 Con el ciego Lázaro tenía _____ hambre _____ con el clérigo.
a ☐ menos/de b ☐ tan/como c ☐ menos/que

4 El calderero era _____ pobre _____ Lázaro
a ☐ tan/como b ☐ menos/de c ☐ mayor/que

5 Cuando el calderero le dio la llave para el arca, Lázaro se puso _____ contento _____ nunca.
a ☐ menos/ de b ☐ más/que c ☐ igual/de

6 Mientras el clérigo pensaba que los ratones se comían el pan, Lázaro comía _____ pan _____ antes.
a ☐ menos/que b ☐ tanto/ como c ☐ más/ que

7 Los vecinos tenían _____ curiosidad _____ el clérigo por resolver el misterio de los ratones.
a ☐ tanta/como b ☐ más/de c ☐ peor/que

8 Después de unas semanas con el clérigo, Lázaro estaba _____ delgado _____ antes.
a ☐ menos/que b ☐ más/que c ☐ igual de

9 El clérigo vio que la llave de Lázaro era _____ _____ la suya
a ☐ igual/ que b ☐ mejor/que c ☐ igual/de

10 Cuando dejó al clérigo Lázaro era _____ pobre _____ antes.
a ☐ igual de/que b ☐ tan/que c ☐ menos/que

4 **Reúne las siguientes palabras en los campos semánticos. Intenta añadir al menos dos palabras nuevas a cada lista.**

~~arca~~ • queso • toro • cebollas • cama • culebra • silla
pescado • sopa • clave • butaca • cerdo • escoba • vaca
longaniza • armario • perro • ratones • uva • pez • cuchara

Cosas de la casa	Comida	Animales
arca		

DELE - Expresión escrita

5 **Imagina que tú, como el Lazarillo, necesitas un trabajo. Escribe un anuncio para pegarlo en el tablón de anuncios de tu escuela. En él debes:**

- **presentarte**
- **describir el tipo de trabajo que estás buscando (dar clases de tu idioma- camarero/a – canguro, etc.)**
- **decir cuáles son tus horarios libres**
- **dejar tus números de contacto (Número de palabras: entre 30 y 40)**

Gramática

6 Completa con el tiempo verbal adecuado.

Lázaro ___pasó___ (pasar) de un mal amo a otro peor.

1 Comparado con el clérigo, el ciego ________ (ser) muy generoso.

2 Lázaro nos cuenta que nunca le ______ (poder) robar al clérigo.

3 En aquella época, Lázaro ________ (desear) la muerte de mucha gente, porque en los entierros le ________ (dar) de comer.

4 El calderero ________ (coger) el pan que más le ________ (gustar) y ________ (irse) muy contento.

5 El clérigo ________ (pensar) que la culebra ________ (estar) en la cama de Lázaro y le ________ (dar) muy fuerte con un bastón.

ACTIVIDAD DE PRE LECTURA

7 El Lazarillo se va a Toledo y se busca otro amo allí. Observa bien los dibujos y relaciónalos con los textos de abajo para saber qué ocurrirá en el siguiente capítulo.

a

b

c

1 ☐ La casa del escudero está vacía y no hay nada de comer allí. El Lazarillo se da cuenta de que el escudero es en realidad muy pobre y maldice su mala suerte. Se tiene que encargar él de buscar comida para los dos.

2 ☐ El Lazarillo conoce a un escudero y empieza a trabajar para él. El escudero es educado y viste bien. El Lazarillo piensa que puede ser un buen amo.

3 ☐ Un día llegan un hombre y una mujer y le piden dinero al escudero por el alquiler de la casa y de la cama.

Tratado tercero

*Cuenta cómo empezó Lázaro a trabajar para un escudero**

Así pues, me vi obligado a ser fuerte y me fui a la ciudad de Toledo. Allí, poco a poco, y con la ayuda de la gente buena, al cabo de quince días se me cerró la herida. Mientras estaba enfermo, siempre me daban limosna. Pero cuando me puse bien, todos me decían:

—¡Tú eres un pícaro* y un vago*! Busca un amo.

«¿Y dónde puedo encontrar uno?», me decía yo entre mí.

Un día, mientras estaba pidiendo limosna de puerta en puerta, me encontré con un escudero por la calle. Iba bastante bien vestido y bien peinado. Nos miramos y me dijo:

—Muchacho, ¿buscas amo?

Yo le dije:

—Sí, señor.

—Pues ven conmigo —me respondió.

Me pareció el amo adecuado* para mí porque llevaba buena ropa y era educado. Así que le seguí.

Era temprano cuando nos encontramos y me llevó con él caminando por toda la ciudad. Pasamos por las plazas donde se vendía pan y comida. Yo creía que íbamos a comprar, pero él pasaba muy deprisa. Yo pensaba, «tal vez no le gusta esto y quiere comprar las cosas en otro lugar».

escudero hombre que es de familia noble
pícaro persona de clase baja, astuto y sinvergüenza, que comete delitos para sobrevivir
vago perezoso, que no tiene ganas de trabajar
adecuado bueno, apropiado para una determinada situación

Así estuvimos andando hasta las once. Entonces entramos en la iglesia mayor y escuchamos misa. Cuando se acabó salimos y empezamos a caminar por una calle hacia abajo. Yo estaba contento. Como no habíamos comprado nada, pensaba que la comida ya debía de estar preparada en casa. Llegamos a su casa justo a la una del mediodía. La entrada era oscura y triste, daba miedo*. Pero dentro había un patio* y habitaciones bastante grandes.

Entramos y mi amo se quitó la capa*. Le ayudé a limpiarla y doblarla. Nos sentamos y me preguntó quién era y de dónde venía. Se lo conté, aunque pensaba que mejor era ir a comer que hablar. Le mentí un poco sobre mí porque no quería contarle mis defectos.

Así estuvimos un rato. Cuando ya eran casi las dos, me pareció mala señal no verle intención de comer. En la casa no se oía ningún ruido, ni había nadie más. Allí tampoco había sillas, ni mesa, ni siquiera* un arca como la del clérigo. Parecía una casa encantada. Estando así, me dijo:

—¿Has comido?

—No, señor —dije yo—, todavía no eran las ocho cuando me encontré con Vuestra Merced.

—Pues, aunque era temprano, yo ya había desayunado. Cuando desayuno, no como nada más hasta la noche. Así que aguanta y después cenaremos.

Cuando oí esto estuve a punto de desmayarme porque comprendí mi mala suerte. Me acordé de todas mis penas y volví a llorar por mis esfuerzos. Recordé que no quería dejar al clérigo porque pensaba que, aunque era miserable, podía encontrarme con otro peor. A pesar de todo, disimulé como pude y dije:

—Señor, gracias a Dios no me preocupo mucho por comer. Por este motivo los amos que he tenido me valoraron mucho.

miedo sentimiento de angustia ante un peligro
patio lugar en el interior de una casa que no tiene techo, que da al aire libre
capa prenda de vestir larga, que sirve de abrigo y se lleva sobre los hombros y por encima de la ropa
ni siquiera ni

—Esa es una virtud —dijo él —y por eso yo te querré más. Los hombres de bien comen moderadamente.

«¡Ya te he entendido!», dije yo entre mí, «Maldita sea, ¡todos mis amos piensan que pasar hambre es sano y bueno!»

Me senté en el portal*. Saqué unos trozos de pan que me habían dado como limosna. Entonces él me dijo:

—Ven aquí, mozo. ¿Qué comes?

Me acerqué y le enseñé el pan. Había tres trozos de pan y él cogió el mejor.

—Éste pan parece bueno —me dijo.

Y empezó a comérselo con grandes bocados.

—Está muy sabroso* —dijo.

Me comí muy deprisa el pan que quedaba porque entendí su debilidad. El pobre tenía mucha hambre. Si acababa su trozo antes que yo, se comería el pan restante.

Cuando terminó, se limpió las migas. Entonces entró en una pequeña habitación y sacó una jarra vieja. Después de beber él, me invitó. Yo quería parecer un mozo sin vicios y dije:

—Señor, no bebo vino.

—Es agua —me respondió—, puedes beber.

Estuvimos hasta la noche hablando; entonces entramos en la habitación y me dijo:

—Mozo, vamos a hacer esta cama. Así aprenderás y de ahora en adelante la sabrás hacer.

Me puse en un extremo y él en el otro e hicimos la cama, aunque no había mucho que hacer. Sólo había un colchón sucio y viejo sobre unas cañas. Intentamos ablandar el colchón, pero era imposible.

Cuando acabamos me dijo:

portal el espacio inmediatamente al lado de la puerta de entrada
sabroso que sabe bien, que es gustoso al comerlo

—Lázaro, ya es tarde y la plaza está lejos. Además en esta ciudad hay muchos ladrones que roban por la noche. Vamos a aguantar hasta mañana porque, como hasta ahora estaba solo, comía fuera y no tengo nada de comer en casa.

—Señor, no se preocupe por mí. Sé como pasar una noche sin comer, ¡y más tiempo si hace falta!

—Vivirás más tiempo y más sano —me respondió—, porque lo mejor para vivir mucho es comer poco.

«Si eso es así», dije entre mí, «yo nunca moriré».

Se acostó en la cama y me mandó echarme a sus pies. Pero no pude dormir porque me clavaba las cañas y mis huesos. Además, tenía mucha hambre.

Por la mañana nos levantamos y le ayudé a vestirse y a peinarse. Mientras se ponía su espada me dijo:

—¡Oh, no sabes, mozo, que espada es ésta! No la cambiaría ni por todo el oro del mundo.

Después salió de casa lentamente y muy recto. Echándose la capa sobre el hombro, me dijo:

—Lázaro, mientras voy a misa cuida de la casa: haz la cama y ve a por agua al río. Cierra la puerta con llave al salir, no quiero que nos roben los ladrones.

Y se fue calle arriba. Su aspecto era tan elegante que parecía alguien importante.

Yo me quedé diciendo «Quien vea a mi señor puede pensar que ha comido bien y dormido en una buena cama, ¿quién podría saber que ayer sólo comió el trozo de pan que yo le di? ¡Oh, Señor, cuántos hombres así debe de haber por el mundo! ¡Que sufren por mantener su honra*!».

honra reconocimiento público de estima

En estas cosas pensaba yo mientras mi amo se iba calle arriba. Entonces volví a entrar en casa, hice la cama y salí a buscar agua. Mientras me dirigía al río, vi a mi amo en una huerta. Estaba con dos mujeres en actitud romántica. Pero ellas le pidieron una invitación a comer y él empezó a dar muchas excusas. Así que, cuando las mujeres se dieron cuenta de que no tenía dinero, se marcharon.

Yo comí unas coles de la huerta como desayuno y volví a casa. Mi amo no me vio. Pensé en barrer* un poco, pero no encontré escoba*. Empecé a pensar qué hacer y me puse a esperar a mi amo por si traía algo de comer. Pero no apareció. Dieron las dos y vi que él no volvía. Como tenía mucha hambre, salí a pedir limosna. En aquella ciudad la gente no era muy generosa, pero yo había tenido muy buen maestro (me refiero al ciego). Así que antes de las cuatro ya había reunido bastante pan. Volviendo a casa, me dieron en el mercado una pata de vaca y unas pocas tripas cocidas.

Cuando regresé, mi amo me estaba esperando. Yo pensé que quería reñirme* por llegar tarde, pero no fue así. Me preguntó de dónde venía y yo le dije:

—Señor, como vi que no regresaba, a las dos salí a pedir limosna. Y esto es lo que me han dado.

Le enseñé los panes y las tripas. Al verlos puso buena cara y dijo:

—Pues te he esperado a comer y como no venías, comí. Tú haces bien: es mejor pedir que robar. Sólo te pido que no digas que vives conmigo, por mi honra.

Me senté silenciosamente a comer y el pobre señor mío me miraba disimuladamente. Me daba lástima porque yo había sentido muchas veces lo que el sentía. Quería invitarle, pero no me atrevía porque había dicho que ya había comido. Al final se acercó y me dijo:

barrer limpiar la suciedad del suelo
escoba cepillo que se utiliza para barrer el suelo
reñir discutir

—Lázaro, ¡verte comer despierta el hambre a cualquiera!

Entonces le dije:

—Señor, este pan está buenísimo y la pata de vaca muy bien cocinada.

—¿Es pata de vaca?

—Sí señor.

—¡Es la mejor comida del mundo!

—Pues pruébela señor.

Se sentó a mi lado, le puse en las manos la comida y empezó a comer con ganas.

—Por Dios, lo he disfrutado mucho. ¡Parece que no haya comido nada en todo el día!

«Esa es la verdad», pensé.

Por no alargarme le diré que estuvimos viviendo así unos ocho o diez días. Él se iba por la mañana y yo salía a buscar comida. Muchas veces pensaba en mi mala suerte: me escapo de los amos malos para buscar uno mejor. Y encuentro uno que no sólo no me da de comer, sino que tengo que darle yo a él. A pesar de todo, le quería bien. Veía que no tenía nada y sentía por él más lástima que antipatía. Sólo tenía una queja: me molestaba su presunción, pero creo que es característica de su clase social.

Mi mala suerte nunca se acababa y el Ayuntamiento prohibió la entrada a la ciudad a los pobres extranjeros. Esto fue porque, debido a la mala cosecha de aquel año, no había comida para todos. Así que no me atrevía a salir a mendigar y pasamos dos o tres días sin comer nada y sin hablarnos. A mí me ayudaron unas vecinas que eran costureras y cosían gorros. Siempre me daban algo de su comida. Me daba mucha

pena mi amo; me daba más pena él que yo mismo. Pasó ocho días sin comer nada, al menos en casa no comimos nada. No sé si fuera de la casa comió algo. Tampoco sé qué hacía cuando salía. Cada día le veía volver a casa muy estirado. Para proteger su honra se metía un bastoncillo en la boca como para limpiarse los restos de comida.

Siempre se quejaba de la casa diciendo:

—Esta casa nos trae mala suerte. Es oscura, triste, ya tengo ganas de que se acabe el mes para marcharnos de aquí.

▶ 4 Un día, no sé cómo, mi amo consiguió una moneda de un real. Llegó a casa tan contento como el hombre más rico del mundo. Me dio el dinero con una sonrisa en la cara diciendo:

—Toma Lázaro, Dios empieza a ser generoso con nosotros. Ve a la plaza y compra pan, vino y carne: ¡vamos a celebrarlo! Y además, te voy a decir para que te alegres, que he alquilado otra casa. En ésta, que es la causa de nuestra mala suerte, sólo vamos a estar hasta final de mes. ¡Esta casa está maldita! Desde que vivo aquí no he bebido una gota de vino, ni he probado un bocado de carne. No he podido descansar, sólo tiene oscuridad y tristeza. Ve al mercado y vuelve rápido, hoy vamos a comer como condes*.

Cogí el real y la jarra para el vino y empecé a subir la calle muy deprisa en dirección a la plaza. Estaba muy contento y alegre. Pero no pude disfrutarlo mucho. Siempre tengo muy mala suerte y nunca me llega ninguna alegría sin una pena. Lo que pasó es que mientras subía la calle, yo pensaba en las cosas que compraría para aprovechar bien el dinero. Entonces me encontré con un entierro. Había muchos clérigos y gente, y llevaban al muerto en un ataúd. Me acerqué a la pared para dejarles espacio. Había una mujer que iba de negro y lloraba mucho porque debía de ser la mujer del muerto. Y cuando

conde título nobiliario

pasaron junto a mí, dijo:

—Marido mío, ¿adónde te llevan? ¡A la casa triste e infeliz! ¡A la casa triste y oscura! ¡Te llevan a la casa donde nunca comen ni beben!

Cuando oí aquellas palabras me asusté mucho y me dije: «¡Oh infeliz de mí, están llevando este muerto a mi casa!».

Me di la vuelta y pasé por en medio de la gente. Corrí muy rápido y volví a mi casa. Cuando entré, cerré la puerta con muchas prisas. Seguidamente llamé a mi amo pidiéndole ayuda para protegerme y defenderme. Y cuando llegó a la entrada me abracé a él. Mi amo estaba un poco alterado porque pensaba que pasaba algo malo.

—¿Qué pasa mozo? ¿Por qué gritas? ¿Qué te sucede? ¿Por qué cierras la puerta con tanta fuerza? —me preguntó.

—¡Señor! Venga aquí, ¡nos están trayendo un muerto a casa!

—¿Cómo es posible? —respondió él.

—Lo encontré subiendo la calle y su mujer estaba diciendo: «Marido mío, ¿adónde te llevan? ¡A la casa triste e infeliz! ¡A la casa triste y oscura! ¡Te llevan a la casa donde nunca comen ni beben!». Nos lo traen aquí señor.

Mi amo no tenía muchos motivos para estar contento. Pero al oír esto se rió tanto que se pasó un buen rato sin poder hablar. Mientras tanto, yo había cerrado la puerta con llave. También me había apoyado contra ella para defenderla mejor. Pasó el entierro y yo todavía pensaba que lo iban a meter en casa. Cuando mi amo se cansó de reír, me dijo:

—Es verdad Lázaro, por las palabras de la viuda has tenido razón al pensar que lo querían meter en casa. Pero esto no ha sucedido y ellos han seguido su camino. Así que abre y ve a buscar comida.

Finalmente él mismo abrió la puerta animándome y yo me encaminé

otra vez. Aquel día comimos bien, pero yo no me tranquilicé durante tres días. Mi amo se reía mucho cada vez que recordaba aquel suceso.

Así pasaba los días con mi tercer amo. Yo tenía mucha curiosidad por saber por qué había venido mi señor a esta tierra. Un día que habíamos comido bien, me contó su historia. Me dijo que era de Castilla la Vieja. Había dejado su tierra porque un día se negó a quitarse el sombrero ante un caballero vecino suyo.

—Señor —dije yo—, lo correcto es quitarse el sombrero ante alguien más importante.

—Sí, es cierto. Él también se quitaba el sombrero ante mí, pero yo siempre me lo quitaba primero.

—Me parece señor —le dije—, que es normal saludar primero a las personas mayores y más ricas.

—Eres joven y no entiendes la importancia de la honra. La honra es la mayor riqueza para los hombres de bien. Yo soy un hidalgo* y no soy tan pobre como parezco. Tengo unas casas que valdrían mucho dinero. El problema es que están derruidas y a noventa quilómetros de donde nací. También tengo un palomar. Pero también está derribado y no tiene palomas. Tengo además otras cosas que no digo. Dejé todo por los asuntos de mi honra. Vine a esta ciudad para encontrar un buen empleo*, pero no ha salido como pensé. Hay trabajos, pero pagan poco y tendría que trabajar mucho.

Mientras contaba esto, entraron por la puerta un hombre y una vieja. El hombre le pidió el dinero del alquiler de la casa y la vieja el de la cama. En total eran doce o trece reales. Él les dijo que tenía que ir a la plaza a cambiar una moneda para pagarles. Les preguntó si podían volver por la tarde. Pero mi amo ya no volvió.

Ellos regresaron por la tarde y yo les dije que todavía no había

hidalgo persona que es de familia noble

empleo trabajo

vuelto. Al llegar la noche, tenía miedo de quedarme solo. Así que fui a casa de las vecinas y les conté lo que había sucedido. Ellas me dejaron dormir allí.

A la mañana siguiente, volvieron el hombre y la vieja. Les preguntaron a las vecinas por mi amo y ellas le respondieron:

—Aquí tenéis a su mozo y la llave de la puerta.

Ellos me preguntaron por él. Yo les dije que no sabía dónde estaba. Cuando oyeron esto, fueron a buscar a un alguacil *. Después entraron en la casa buscando las pertenencias de mi amo para pagar su deuda. Recorrieron toda la casa y la encontraron vacía.

—¿Dónde están las propiedades de tu amo: sus arcas, tapices y muebles? —me preguntaron.

—No lo sé —respondí.

—Seguro que esta noche se lo han llevado a alguna parte —dijeron—. Señor alguacil, coja a este mozo, seguro que él sabe dónde está.

El alguacil me cogió por el cuello y me dijo:

—Muchacho, dime dónde están las pertenencias de tu amo o te llevo prisionero.

Yo tuve mucho miedo porque era la primera vez que me cogían del cuello. Me puse a llorar y le prometí decir toda la verdad.

—Señores —dije—, mi amo me contó, que tiene un solar de casas muy bueno y un palomar derribado.

—Muy bien —dijeron ellos—; ¿En qué parte de la ciudad tiene eso?

—En su tierra —dije yo—, me dijo que era de Castilla la Vieja.

Se rió mucho el alguacil.

De esta manera me dejó mi pobre tercer amo. Tuve muy mala suerte, porque normalmente es el mozo quien deja al amo. Pero en mi caso fue mi amo quien huyó de mí.

alguacil persona que se ocupaba del cumplimiento de la ley

ACTIVIDADES

Gramática y Vocabulario

1 En cada frase hay una o más palabras que no son adecuadas, sustitúyelas por una de las palabras del recuadro.

tan • ~~poco a poco~~ • llevó • conmigo • mejor • pruébela algo (2) • trae • venga • tengas • es • encontré

Allí, ~~despacio despacio~~ *poco a poco* y gracias a la ayuda de la gente me recuperé.

1 Muchacho, ¿por qué no vienes **con mi** ___________ ?

2 Era temprano cuando me **encuentro** ___________ con él y me **trajo** ___________ caminando por toda la ciudad.

3 ¡Es la **más buena** ___________ comida del mundo! ¡**Pruébala** ___________ señor!

4 Siempre me daban **alguna** ___________ de su comida.

5 Esta casa **está** ___________ triste y oscura; nos **lleva** ___________ mala suerte.

6 ¡Señor, **vaya** ___________ aquí! ¡Está pasando **alguno** ___________ muy grave!

7 Yo soy un hidalgo, y no soy **tanto** ___________ pobre como parezco.

8 Venga chico, no **tener** ___________ miedo y di lo que sabes.

2 Completa las siguientes oraciones con los pronombres demostrativos o posesivos adecuados.

Mientras contaba *esto* entraron un hombre y una mujer.

1 ________ amo me dijo que tiene algunas posesiones en ________ tierra.

2 ¿Lázaro, es ________ pedazo de pan ________ (de Lázaro)?

3 He alquilado otra casa, ________ donde vivimos ahora trae mala suerte.

4 Mientras el escudero se ponía ________ capa me dijo: —¡No sabes qué espada es ________ !

5 Seguro que ________ noche (el escudero) se ha llevado ________ propiedades a otra parte.

3 ¿En qué situación utilizarías las siguientes expresiones? Marca la opción correcta.

«¡Eres el mejor amigo del mundo!» se lo dirías a...
a ☑ un amigo que te ha hecho un favor
b ☐ alguien que te ha dado una indicación por la calle
c ☐ un amigo con quien te has peleado

1 «¡Pruébelo señor!», se lo dice...
a ☐ una madre a su hijo a la hora de comer
b ☐ el camarero a un cliente en el restaurante
c ☐ una camarera a un chico joven en un bar

2 «Aquí tiene su coche y las llaves.» se lo diría...
a ☐ una hija a su padre cuando vuelve a casa
b ☐ el aparcacoches de un restaurante a un cliente que se marcha
c ☐ un cliente al aparcacoches de un restaurante cuando llega

3 «¡Vamos a celebrarlo!» lo diría...
a ☐ un grupo de amigos el último día de clase
b ☐ un amigo a otro que no ha pasado el examen de conducir
c ☐ un trabajador a su jefe para felicitarlo por un éxito laboral

4 «¡Ven aquí! ¡Date prisa!» lo diría...
a ☐ alguien que llama al número de emergencias por un problema
b ☐ una mujer que llama a su marido porque tiene un problema en casa
c ☐ un chico que invita a su novia a ir al cine

5 «No te pongas el jersey azul, ¡trae mala suerte!» se lo diría...
a ☐ el director de una oficina a un empleado antes de una reunión importante
b ☐ una chica a su amigo, que tiene una entrevista de trabajo
c ☐ una profesora a sus alumnos antes de un examen

DELE - Comprensión Auditiva

▶ 4 **4 Vas a escuchar un fragmento del texto que acabamos de leer, lo escucharás dos veces. A continuación lee las preguntas y selecciona la opción correcta (A, B o C) para cada pregunta.**

Lázaro sale de casa muy contento para ir...
- **a** ☑ a la plaza
- **b** ☐ a la iglesia
- **c** ☐ a la escuela

1 Mientras va a comprar, Lázaro se encuentra con...
- **a** ☐ un amigo
- **b** ☐ un entierro
- **c** ☐ un mercado

2 Cuando pasan por su lado, Lázaro...
- **a** ☐ se aparta para dejarles pasar
- **b** ☐ se asusta mucho
- **c** ☐ se une a ellos

3 Lázaro tiene miedo porque piensa...
- **a** ☐ que va a morir él también
- **b** ☐ que van a llevar al muerto a su casa
- **c** ☐ que se lo van a llevar a él

4 Cuando Lázaro le cuenta a su amo lo que ha escuchado...
- **a** ☐ su amo empieza a reír
- **b** ☐ su amo jura que le protegerá
- **c** ☐ su amo se asusta también

5 ¿Qué hace toda la gente del entierro?
- **a** ☐ entra en casa del Lazarillo
- **b** ☐ pasa de largo
- **c** ☐ se para delante de su casa, pero no entra

6 ¿Adónde están llevando en realidad al muerto?
- **a** ☐ al cementerio
- **b** ☐ a casa del Lazarillo
- **c** ☐ al mercado

ACTIVIDAD DE PRE LECTURA

5 **Elige la opción correcta para completar los siguientes titulares de periódico y descubrirás qué va a pasar en los siguientes tratados.**

1

Lázaro de Tormes deja al fraile con quien trabaja **porque/por qué** se cansa mucho y encuentra un nuevo amo: un buldero.

____

2

¡Pelea en el bar **entre/dentro de** el buldero y el alguacil!

____

3

Alguacil acusa a buldero de/por ser un mentiroso.

____

4

Castigo divino: alguacil cae medio muerto **por/para** difundir mentiras.

____

5

La bula salva **al/el** alguacil de una muerte segura.

____

6

Todo el mundo compra/compran la bula para protegerse.

____

Tratado cuarto

*Cuenta cómo empezó Lázaro a trabajar con un fraile**

Tuve que buscarme al cuarto amo. Fue un fraile de la Merced que me presentaron las vecinas de las que he hablado. A este fraile no le gustaba nada la vida en el convento. Lo que le encantaba era salir fuera y hacer visitas a la gente. Caminaba tanto que rompía más zapatos que todos los frailes del convento. Él me regaló los primeros zapatos que rompí en mi vida. Me duraron solo ocho días y yo también me cansé con su ritmo. Por este motivo y por otros que prefiero no contar, lo dejé.

fraile persona que pertenece a una orden religiosa

Cuenta cómo empezó Lázaro a trabajar con un buldero*

5 El quinto amo que tuve la suerte de encontrar era un buldero. Era el hombre más desenvuelto* y desvergonzado que he conocido en mi vida. Tenía mucha capacidad para vender las bulas porque se inventaba mil métodos y maneras.

Cuando llegábamos a los lugares donde había que vender la bula, lo primero que hacía era regalar a los clérigos algunas cosillas de poco valor. Por ejemplo una lechuga, un par de limones o naranjas, un melocotón, un par de peras. Así los tenía contentos y ellos animaban a sus fieles a comprar la bula.

Cuando le daban las gracias, se informaba de los conocimientos de cada uno. Si sabían mucho, no hablaba ni una palabra en latín, para no equivocarse. Hablaba en un castellano muy correcto y cuidadoso con mucha desenvoltura. Si, por el contrario, sabía que los clérigos no tenían muchos estudios, hablaba durante dos horas en latín. En realidad no era latín, sino algo que parecía latín.

Cuando no le compraban las bulas por las buenas, se las hacía comprar por las malas*. Para conseguir esto hacía todo tipo de engaños al pueblo. Como sería muy largo contarlos todos, le contaré uno muy breve y gracioso, como ejemplo de su talento.

buldero/bula persona que vende bulas/documento del Papa que concede privilegios

desenvuelto que tiene facilidad y soltura para actuar o para hablar

por las malas de forma obligatoria, incluso violenta

En un lugar al norte de Toledo había predicado dos o tres días. Pero nadie le había comprado ni una bula, ni tenían intención de comprarla. Estaba muy enfadado con todo aquello. Pensaba en qué hacer y decidió invitar a la gente del pueblo al día siguiente a escucharle por última vez antes de marcharse.

Esa noche, después de cenar, mi amo y el alguacil que nos acompañaba se jugaron la bebida. Acabaron discutiendo por culpa del juego y se insultaron. Él llamo ladrón al alguacil. Entonces éste dijo que mi amo era un mentiroso. Mi amo vio una lanza* cerca de la puerta y la cogió. Entonces el aguacil sacó su espada. Querían matarse. Todos gritamos y acudieron* los huéspedes y los vecinos para separarlos. La casa se llenó de gente que llegó al oír el ruido. Así que vieron que no podían enfrentarse con las armas y siguieron insultándose. El alguacil, entre otras cosas, acusó a mi amo de vender bulas falsas.

Finalmente los del pueblo consiguieron separarlos y se llevaron al alguacil a otra parte. Mi amo se quedó muy enfadado. Cuando todos se marcharon, nos fuimos a dormir.

A la mañana siguiente, mi amo se fue a la iglesia. Allí llamó a la gente a misa para despedirse. El pueblo se reunió y murmuraban* que el alguacil había dicho durante la pelea que las bulas eran falsas. La gente del pueblo no tenía ganas* de comprar la bula y después de oír al alguacil todavía menos.

Mi señor amo empezó a hablar y a animar* a la gente a comprar la bula. Cuando estaba en la mejor parte de su sermón, entró el alguacil. Desde la puerta de la iglesia, en voz alta y con mucha calma comenzó a decir:

lanza arma consistente en un palo con una punta de hierro afilada
acudir ir a un sitio
murmurar hablar en voz baja
tener ganas tener deseo o voluntad de algo
animar hacer que alguien sienta más valor y energía para hacer algo

—Buenas gentes, escuchadme. Yo vine a este pueblo con este mentiroso. Me pidió ayuda para vender las bulas y me prometió la mitad de la ganancia. Ahora estoy arrepentido* de lo que he hecho. Os digo claramente que las bulas que vende son falsas. No le creáis y no las compréis. Además os comunico que yo no tengo nada que ver con ellas y dejo mi oficio de alguacil desde este momento. Si algún día se castiga a este hombre por mentiroso, vosotros sois testigos de que yo no estoy con él. Yo os he contado la verdad.

Así terminó. Y algunos hombres honrados quisieron echar al alguacil fuera de la iglesia, para evitar el escándalo. Pero mi amo se lo impidió y dejó terminar al alguacil.

Cuando éste por fin se calló, mi amo dijo así:

—Señor Dios, tú que lo ves todo y que puedes hacer todas las cosas y sabes la verdad. Me están acusando injustamente. Yo perdono al alguacil y pido tu perdón. No sabe lo que dice ni lo que hace. Pero seguramente algunos de los que estaban aquí pensaban comprar esta santa bula. Después de creer las mentiras de ese hombre, no lo van a hacer. El alguacil no quiere que estos hombres y mujeres tengan el gran bien de la bula. No perdones este deshonor, te lo suplico. Señor, haz aquí el siguiente milagro: si ese hombre dice la verdad y yo soy un mentiroso, ¡mándame al infierno! Haz que me coma la tierra. Pero si yo digo la verdad, ¡castígale a él!

Cuando mi señor terminó de decir estas palabras el alguacil se cayó al suelo. Se dio un golpe tan fuerte en el suelo que se escuchó en toda la iglesia. Entonces empezó a gritar y a moverse por el suelo dándose muchos golpes.

El ruido de las voces de la gente era tan grande que no podían oírse entre ellos. Algunos tenían miedo y decían: «¡Que Dios le ayude!».

arrepentirse lamentar haber hecho o dicho algo

Otros en cambio: «Se lo merece, por decir mentiras».

Finalmente, algunas personas que estaban allí se acercaron a él y le cogieron los brazos y las piernas. Había más de quince hombres encima de él. Pero tardaron un buen rato en sujetarle porque él lanzaba manotazos* y patadas* a todos.

Algunos buenos hombres le suplicaron a mi amo ayuda para aquel pobre hombre que se estaba muriendo. Le pidieron que no pensara en las cosas pasadas ni en todas las cosas malas que había dicho. Ahora ya sabían quien decía la verdad. Mi amo los miró y miró al alguacil. Miró a toda la gente que estaba en la iglesia y muy lentamente les dijo:

—Buena gente, Dios nos enseña que hay que perdonar los pecados. Así que podemos pedirle su perdón para este hombre. Vamos a suplicarle todos juntos.

Todos se arrodillaron y rezaron. Mi amo le dijo a Nuestro Señor que no quería la muerte del pecador. Después le puso la bula sobre la cabeza y, poco a poco, el aguacil comenzó a sentirse mejor y a recuperarse. Cuando estuvo bien, pidió perdón a mi señor. Confesó haber mentido porque estaba enfadado.

Mi amo le perdonó e hicieron las paces*. Todo el mundo en aquel lugar compró la bula: marido, mujer, hijos, hijas, mozos, mozas...

La noticia de lo sucedido llegó a todos los pueblos vecinos. Cuando llegábamos a ellos, no era necesario ir a la iglesia ni hablar a la gente. Todo el mundo acudía a la posada a comprar la bula. Fuimos a diez o doce pueblos de los alrededores y mi amo vendió otras mil bulas sin tener que predicar.

manotazos golpes con las manos
patadas golpes con los pies

hacer las paces reconciliarse

Cuando representaron el engaño, confieso que también me lo creí. Me asusté mucho, como los demás. Pero después vi que mi amo y el alguacil se reían y comprendí el engaño. Todo lo había pensado mi inteligente amo. Aunque yo era joven, me hizo mucha gracia y pensé: «¡Seguramente se hacen muchos engaños de este tipo entre la gente inocente!».

Estuve con mi quinto amo alrededor de cuatro meses durante los que también pasé muchas penas.

ACTIVIDADES

DELE – Lectura

1 Contesta a las preguntas sobre el texto que has leído seleccionando la opción correcta (A, B o C).

Al fraile de la Merced le gustaba mucho...

a ☐ romper zapatos
b ☑ estar todo el día fuera de casa y visitar a sus amigos
c ☐ la vida retirada del convento

1 Según el Lazarillo el buldero era...

a ☐ un sinvergüenza
b ☐ el peor vendedor que conocía
c ☐ un hombre muy honrado

2 El buldero hablaba en latín...

a ☐ sólo con quien no lo conocía bien, porque se lo inventaba
b ☐ con todos los clérigos a los que conocía
c ☐ con el Lazarillo

3 El buldero y el alguacil...

a ☐ se enfadaron mucho y querían matarse
b ☐ fingieron pelearse delante de todo el mundo
c ☐ vendieron bulas a todo el mundo después de cenar

4 El alguacil acusó al buldero delante de todo el pueblo de...

a ☐ no ser un verdadero religioso
b ☐ vender bulas falsas
c ☐ no pagar sus deudas de juego

5 La gente del pueblo creyó que el alguacil...

a ☐ estaba muerto
b ☐ estaba poseído por el demonio
c ☐ se curó gracias a la bula

6 El Lazarillo...

a ☐ ayudó a representar el engaño
b ☐ se creyó el engaño
c ☐ compró una bula

Gramática

2 Completa las frases con la perífrasis verbal adecuada eligiendo el tiempo verbal necesario.

llevar • ~~empezar a~~ • dejar de • haber que • ponerse a • estar

Lázaro *empezó a trabajar* para un buldero.

1 El buldero pensaba que para vender bulas primero ___________ (hacer) regalos a los curas.
2 El buldero y el alguacil ___________ (pelear) porque la gente los separó.
3 Mientras el buldero ___________ (hablar) entró el alguacil en la iglesia
4 Cuando vio el milagro la gente ___________ (rezar).
5 Lázaro ___________ 4 meses ___________ (vivir) con el buldero cuando decidió dejarlo.

3 Pon los verbos en la forma correcta del imperativo.

¡No *digas.* más mentiras!

1 Señores, ¡ ___________ (comprar) la bula del Papa!
2 Lázaro, ___________ (comer) un poco más de pan y ___________ (beber) un vaso de vino.
3 Queridos lectores, ___________ (no, decir) que no os ha gustado mi libro.
4 ___________ (no ser) tan desvergonzado, ___________ (pensar) un poco en los demás.
5 ___________ (dar a mí, tú) unas monedas blancas, ___________ (no quedarse, tú) todo el dinero para ti.
6 Señor, ___________ (escuchar) mis palabras con atención.
7 ___________ (no creerse) todo lo que dice el buldero.
8 ___________ (decir) la verdad a toda esta gente.

Cuenta cómo empezó Lázaro a trabajar con un capellán

6 Después de esto, empecé a trabajar con un maestro de pintar panderetas*. Yo le preparaba los colores, y también sufrí mil males.

En aquellos tiempos yo ya era un jovencito. Un día entré en la iglesia mayor y cuando me vio el capellán, me tomó por criado. Me dio un buen burro y cuatro jarros. Empecé a pregonar y vender agua por la ciudad. Éste fue el primer paso que di hacia una vida mejor. Yo era el que le ponía precio al agua y calculaba el dinero que ganaba. Cada día tenía que dar a mi amo treinta maravedís de mis ganancias. Si ganaba algo más, era para mí. Y los sábados, todo el dinero que ganaba era para mí.

Me fue muy bien con este trabajo. Ahorré tanto dinero que, al cabo de cuatro años, me pude comprar ropa, una capa y una espada. Cuando me vi tan bien vestido, le devolví el burro a mi amo y le dije que no quería trabajar más para él.

pandereta instrumento musical que lleva unos cascabeles o unas chapas de metal que hacen ruido al chocar entre ellas

Tratado séptimo

Cuenta cómo empezó Lázaro a trabajar con un alguacil

Después de despedirme del capellán empecé a trabajar como ayudante de un alguacil. Pero estuve muy poco tiempo con él porque me parecía un oficio peligroso. Y es que una noche unos fugitivos* de la justicia nos persiguieron a mi amo y a mí. Nos tiraron piedras y nos pegaron con palos. A mí no pudieron cogerme, pero a mi amo sí. Le hicieron mucho daño. Después de este suceso, dejé el trabajo.

Así que me puse a pensar en la mejor manera de llevar una vida tranquila. Quería poder descansar y ahorrar* dinero para la vejez. Dios me enseñó la manera y me puso en el buen camino. Gracias a la ayuda que tuve de amigos y señores, todos mis trabajos y las penas pasadas hasta entonces valieron la pena*. Pude alcanzar lo que quería: un oficio real*. Solo las personas que tienen oficios reales consiguen vivir bien. Y hasta el día de hoy vivo de él y estoy al servicio de Dios y de Vuestra Merced. Tengo el cargo de pregonar los vinos que se venden en esta ciudad, las subastas públicas y las cosas que se pierden. También acompaño a los delincuentes y digo en voz alta sus delitos: soy pregonero*. Me ha ido muy bien y el trabajo ha sido para mí muy fácil. En esta ciudad si alguien quiere vender un vino, llama a Lázaro de Tormes para que se lo pregone.

fugitivo que huye o se esconde de alguien
ahorrar reservar el dinero sin gastarlo
valer la pena cuando el resultado final de una acción compensa el esfuerzo que cuesta hacerla
oficio real trabajo público
pregonero oficial público que da en voz alta las noticias y hechos importantes

Mientras tanto, viendo que me iba muy bien, su amigo el arcipreste de San Salvador me propuso matrimonio con una criada suya. Yo conocía al arcipreste porque le pregonaba los vinos. Y pensé que de una persona como él sólo podían resultar cosas buenas, así que acepté. Me casé con ella y hasta ahora no me he arrepentido. Mi esposa es una buena mujer y muy buena en las tareas de la casa. Además puedo contar siempre con el señor arcipreste para cualquier cosa. Y durante el año siempre nos regala algo: a veces un saco de trigo, para Pascua; un trozo de carne; de vez en cuando un par de panecillos; los pantalones viejos que ya no le quedan bien. Y nos hizo alquilar una casa, aquí, al lado de la suya. Los domingos y festivos comíamos siempre en su casa.

Pero siempre ha habido y siempre habrá malas lenguas. A nosotros no nos dejan vivir tranquilos porque comentan que ven a mi mujer ir a casa del arcipreste a hacerle la cama y a cocinar. Pero ella no es ese tipo de mujer, además el arcipreste un día habló conmigo delante de mi mujer y me prometió ciertas cosas que yo creo que cumplirá:

—Lázaro de Tormes, el hombre que escucha lo que dicen las malas lenguas nunca mejorará en la vida. Yo no me preocupo por los rumores que dicen cosas de tu mujer y de mí. Ella viene a trabajar aquí y no hay ningún peligro para tu honra, esto te lo prometo. No hagas caso a las críticas y los rumores, sólo piensa en el beneficio que todo esto te puede traer.

—Señor —le dije—, yo decidí estar cerca de las buenas personas. Es verdad que algunos de mis amigos me han contado algunas cosas de ésas. También me han asegurado que, antes de casarse conmigo, mi mujer había tenido tres hijos, con todos los respetos de Vuestra Merced.

Entonces mi mujer se puso a gritar tanto que yo pensé que la

casa se iba a caer. Después empezó a llorar y a insultar al arcipreste por haberla casado conmigo. Yo me arrepentí* de lo que había dicho. Después de un rato conseguimos tranquilizarla entre mi señor y yo. Pero tuvimos que decirle y prometerle muchas cosas y, al final, dejó de llorar. Yo le juré que nunca en mi vida hablaría otra vez de todo aquel asunto. Le aseguré que tenía confianza en ella. Por este motivo le di permiso para entrar y salir de noche y de día. Así quedamos todos contentos.

Hasta hoy, nunca hemos vuelto a hablar de este tema. Cuando alguien me quiere contar algo sobre ella, le interrumpo y le digo:

—Mira, si eres amigo mío, no me hables de estas cosas que me ponen triste. Sobre todo si son cosas que pueden enfadarme con mi mujer. Ella es la persona que más quiero en el mundo y la amo más que a mí mismo. Dios me ha hecho un regalo que no merezco: la ha puesto a mi lado. Yo juraré a todo el mundo que es una mujer tan buena como cualquier otra de las que viven dentro de las puertas de Toledo. Si alguien dice lo contrario, le mataré.

De este modo no me dicen nada y yo tengo paz en mi casa.

Esto sucedió el mismo año que nuestro Emperador victorioso entró en Toledo*. Hubo Cortes* y se celebraron muchas fiestas, como Vuestra Merced seguramente ya sabe. En aquellos tiempos las cosas me iban muy bien y estaba en la cumbre de la suerte.

arrepentirse sentir una gran pena por haber hecho algo malo
entrada en Toledo del emperador el emperador a quien se refiere es el rey Carlos I de España y V de Alemania

Cortes reuniones generales en las que se trataban asuntos de Estado en los que aparecían representadas la nobleza, la iglesia y la burguesía y baja nobleza.

ACTIVIDADES

Comprensión escrita

1 Seis de estas frases son falsas, encuéntralas y vuelve a escribirlas para que sean verdaderas.

		V	F
	Antes de trabajar con un capellán, Lázaro trabajó con un maestro en pintar panderetas.	☑	☐
1	Con el dinero que ganó vendiendo agua, Lázaro se compró un abrigo y un burro.	☐	☐
2	A Lázaro le gustó mucho trabajar como ayudante del alguacil.	☐	☐
3	Al final Lázaro consiguió lo que quería: un oficio real	☐	☐
4	Lázaro de Tormes trabaja como vendedor de vino.	☐	☐
5	Lázaro se casó con la criada del duque de San Felipe.	☐	☐
6	Las malas lenguas decían que la mujer de Lázaro le era infiel.	☐	☐
7	Lázaro se peleó con el arcipreste de San Salvador para defender la honra de su mujer	☐	☐
8	Lázaro no se fía de su mujer y por eso no la deja salir sola nunca.	☐	☐

Gramática y vocabulario

2 Completa estas frases con los marcadores temporales adecuados.

Antes de • nunca • ~~Después de~~ • cada día Mientras • Al cabo de • En aquella época • Cuando

Después de trabajar con el buldero, Lázaro empezó a trabajar para un maestro pintor de panderetas.

1 ____________ Lázaro ya era un hombre joven.
2 ____________ unos años Lázaro se pudo comprar ropa.
3 ____________ se vio tan bien vestido, decidió dejar a su amo.
4 ____________ ser pregonero, trabajó para un alguacil.
5 ____________ trabajaba como pregonero, el arcipreste de San Salvador le buscó una esposa.
6 La mujer de Lázaro va ____________ a trabajar a casa del arcipreste.
7 Lázaro no quiere que nadie ____________ hablé mal de su mujer.

3 Forma oraciones condicionales en presente indicativo.

Si Lázaro *gana* mucho dinero, se *compra* ropa nueva.

1 Si __________ (trabajar) con un alguacil, tu vida __________ (poder ser) peligrosa.
2 Si __________ (tener) un oficio real, __________ (poder vivir) tranquilamente.
3 Si __________ (ahorrar) dinero de joven, de viejo __________ (vivir) mejor.
4 Si alguien __________ (querer) vender un vino en Toledo, __________ (llamar) a Lázaro de Tormes.
5 Si __________ (escuchar) las malas lenguas, nunca __________ (mejorar) en la vida.
6 Si alguien __________ (hablar) mal de su mujer, Lázaro __________ (entristecerse) mucho.

4 A lo largo de todo el texto aparecen muchas frases hechas y expresiones típicas del español. ¿Podrías relacionar cada una de las siguientes con su significado?

1 ☐ Dar a luz
2 ☐ No tener más remedio
3 ☐ Valerse por sí mismo
4 ☐ En un abrir y cerrar de ojos
5 ☐ Comer y beber como un lobo
6 ☐ Dar que hablar
7 ☐ Por las buenas/por las malas
8 ☐ Hacer las paces
9 ☐ Tener ganas

a Muy rápidamente
b Tener un bebé
c No tener otra solución
d Comer y beber mucho
e Hacer cosas que provocan que la gente hable de ti
f Tener deseos de hacer algo
g De voluntad propia/ porque te obligan
h Después de enfadarse, volver a estar bien con alguien
i Que no necesitas a nadie para hacer algo

DELE - Expresión oral

5 Observa atentamente la ilustración de la página 67. Describe la imagen ante tu profesor y tus compañeros: el lugar, las personas, los objetos, las acciones. Habla sobre las características físicas de las personas y sobre su ropa o los objetos que llevan. En total debes hablar durante unos 2 ó 3 minutos.

Para ayudarte en tu descripción puedes ir contestando a las siguientes preguntas:

- **¿Quién aparece en la ilustración? ¿En qué lugar crees que se encuentran?**
- **¿Puedes describir el lugar?**
- **¿Cómo van vestidos los personajes de la ilustración?**
- **¿De qué crees que están hablando?**

La España del s.XVI

El título completo de la obra que has leído es **Vida de Lazarillo de Tormes y de sus fortunas y adversidades**. Y la edición más antigua que se conoce de esta obra data de 1554. ¿Sabes cómo era España en aquella época?

El imperio español

En el siglo XVI el imperio español estaba en su máximo esplendor. Se decía de él que era el imperio donde nunca se ponía el sol. La verdad es que el reino de España había conquistado tantas tierras en todo el mundo que siempre había algún lugar donde era de día. Estos años de máximo esplendor se vivieron durante el reinado de Carlos I (1516-1556) y de Felipe II (1556-1598). Carlos I, hijo de Juana La Loca y Felipe el Hermoso, unió los reinos de Castilla, Aragón y Navarra con el Sacro Imperio Romano Germánico. Además, España también contaba con los territorios del reino de Nápoles y Sicilia, las Indias (América) y Canarias.

Felipe II.

Problemas en el Imperio

A pesar de contar con un imperio tan grande, había muchos problemas en el reino. Estos problemas tuvieron lugar tanto dentro de España, como fuera de ella.
Hubo muchas guerras con países extranjeros y conflictos en las ciudades entre la burguesía y la nobleza. Todas estas guerras se pagaron con el oro que los colonizadores se habían llevado de América, pero pronto empezó a faltar el dinero. Las clases más bajas se empobrecieron y mucha gente fue a las ciudades a buscar trabajo. Así que las ciudades enseguida se llenaron de mendigos y gente marginada. Esto queda claramente reflejado en El Lazarillo.
La misma madre de Lázaro, tiene que dejar el campo para buscar trabajo en la ciudad. El escudero también llega a la ciudad desde el campo. El pobre Lázaro mendiga de una ciudad a otra buscando un amo que lo mantenga. Y todos tienen un elemento en común: el hambre.

Las clases sociales

Felipe II en el banquete de los monarcas.

La división de las clases sociales era muy fuerte. Las clases privilegiadas son la nobleza y el clero. A lo largo de la novela vemos a unos cuantos representantes del clero: por ejemplo el clérigo del Tratado 2, el fraile del Tratado 4 o el buldero del Tratado 5.
Sólo se podía pertenecer a la nobleza si se tenía sangre noble. Pero existían básicamente dos tipos de nobles: los que tenían dinero y los que no lo tenían. Los que tenían dinero, influencia y poder eran los llamados Grandes de España. Los más pobres eran los hidalgos, que solían tener cargos públicos.
En algunos casos no tenían ni siquiera esto, como el escudero del Tratado 3. Éste es un claro ejemplo de noble sin dinero, pero que lucha por mantener su apariencia social y su honra. Esta palabra era importantísima en el s.XVI y se le daba un valor desmesurado. Tanto la nobleza como el clero, contaban con un privilegio especial frente a las otras clases: no tenían que pagar impuestos y, además, tenían un sistema de leyes diferente. Aparte de la nobleza y el clero, estaba el estado llano. Este grupo constituía el 85% de la población. En este grupo estaban mezclados la burguesía, los campesinos, los mendigos...

La Expulsión del los moriscos en el Puerto de Denia.

Grupos sociales minoritarios

También había algunos grupos sociales minoritarios e incluso perseguidos como los moriscos y los gitanos. Los moriscos eran los musulmanes que se habían quedado en España y se habían convertido al cristianismo después de la expulsión de los árabes en 1499. En la novela tenemos un ejemplo de morisco en el personaje de Zaide, el padrastro del Lazarillo. Por eso el narrador hace referencia a su piel de color más oscuro. Y, por último, uno de los grupos sociales más abundantes durante el siglo XVI es el de los mendigos y vagabundos. De hecho, lo que pretende narrar El Lazarillo de Tormes es cómo vivir siendo pobre e intentar mejorar en la vida. El estado intentaba solucionar este problema obligando a muchos vagabundos a ir a las guerras o a hacer trabajos forzosos.

Di si las siguientes afirmaciones son verdaderas o falsas.

		V	F
1	Los hidalgos eran un grupo rico y poderoso.	☐	☐
2	Existía una fuerte división entre las clases sociales.	☐	☐
3	El estado llano era el grupo social más numeroso.	☐	☐
4	En aquella época se decía que en el Imperio español nunca se ponía el sol.	☐	☐

La comida y la bebida

¿Habéis notado la poca variedad de comidas y bebidas que se mencionan en la novela? Prácticamente podemos decir que solo se habla de agua y vino, de pan y de alguna carne como la longaniza del ciego o las tripas que mendiga el Lazarillo con el escudero.

Esto es muy importante porque en aquellos tiempos saber lo que alguien comía era conocer su importancia social. Así que deducimos fácilmente que el Lazarillo no tiene ninguna importancia social porque lo que come, cuando come, son alimentos básicos.

Vieja friendo huevos por Diego Velázquez.

Eleonora de Toledo.

La ropa y los complementos

El Lazarillo siente que ha mejorado en la vida cuando se compra una capa y una espada. La capa era un signo de distinción social. Durante el s.XVI se puso de moda la capa corta. Cuanto más corta era, mayor era la importancia social: el rey la llevaba por la cintura; los nobles, a medio muslo; los artesanos, por las rodillas y el pueblo llano, por los pies.

La espada se llevaba como un complemento de la ropa y para la defensa personal. En aquella época eran frecuentes los duelos para defender la honra, y la espada era el arma habitual en este tipo de peleas

Contexto literario

La picaresca

La novela picaresca es un género narrativo muy característico de la literatura española de los siglos XVI y XVII. Empieza con el Lazarillo de Tormes. Este tipo de novelas aparecen como parodia a las novelas de caballerías o a la literatura idealizadora. El contraste con la cruda realidad social era demasiado fuerte.
La picaresca critica una realidad social pobre y envilecida y muestra la realidad de los nobles pobres (hidalgos), los vagabundos y miserables que luchan por sobrevivir. Siempre hay un toque de humor y se crean situaciones cómicas y divertidas.
El protagonista de estas novelas es siempre un personaje de muy bajo nivel social, hijo de padres sin honra y que intenta mejorar en la vida pero que muchas veces roba o engaña. A este personaje se le llama pícaro.

La Celestina por pablo Picasso.

Otros personajes famosos de la literatura del Siglo de Oro

La época de mayor éxito de la cultura española se conoce como Siglo de Oro. Comprende esencialmente los siglos XVI y XVII, el Renacimiento y el Barroco. Durante esta época la literatura tiene un momento espléndido tanto en poesía como en teatro y prosa.

La Celestina

Esta vieja mujer es la protagonista de *La tragicomedia de Calisto y Melibea*, obra de 1502 conocida como La Celestina. Su autor fue Fernando de Rojas y la obra trata de un muchacho, Calisto, que pide ayuda a una vieja mujer para conquistar a su amada, Melibea. *La Celestina* nos recuerda a una bruja porque utiliza la magia, es muy avara y lo que más le importa es disfrutar de la vida y de todos sus placeres.

Don Quijote de la Mancha

Don Quijote nació de la pluma de Miguel de Cervantes. Este personaje es, como el Lazarillo, un antihéroe. El propósito de la obra es el de burlarse de las novelas de caballerías, que estaban tan de moda en la época.

El Capitán Alatriste

En realidad este personaje del Siglo de Oro se hizo famoso gracias a un escritor contemporáneo, Arturo Pérez-Reverte. Las aventuras del capitán Alatriste se narran en seis novelas y reflejan a la perfección la historia y el ambiente que se vivía en la España de los siglos XVI y XVII. Pérez-Reverte escribió esta serie de novelas para dar a conocer a los chicos y las chicas jóvenes la historia, la literatura y a los personajes más importantes del Siglo de Oro de manera divertida. Las novelas narran las aventuras de Diego Alatriste, un soldado retirado que trabaja como espadachín a sueldo en el Madrid del siglo XVII.

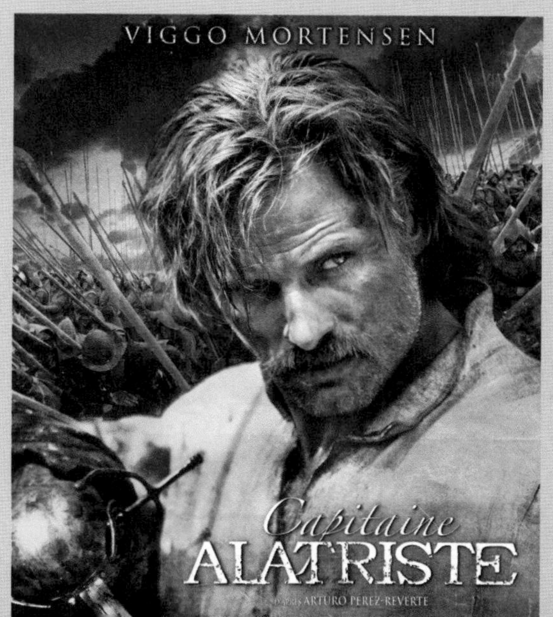

TEST FINAL

1 Di si las siguientes afirmaciones son verdaderas (V) o falsas (F).

		V	F
1	El Lazarillo opina que todos los libros contienen una enseñanza.	☐	☐
2	El Lazarillo piensa que él es mejor persona que el resto del mundo.	☐	☐
3	Todo el libro está dirigido a un noble y el propósito de Lázaro es contarle su vida.	☐	☐
4	El padre del Lazarillo fue arrestado por robar.	☐	☐
5	Lázaro nunca tuvo hermanos.	☐	☐
6	Lázaro conoció al ciego en un mesón donde trabajaba su madre.	☐	☐
7	Lázaro perdió su inocencia infantil con el ciego.	☐	☐
8	El ciego era muy generoso con el Lazarillo y le daba mucha comida y bebida.	☐	☐
9	El segundo amo de Lázaro fue mucho mejor que el primero.	☐	☐
10	Lázaro no podía robarle nada al clérigo porque en la casa no había nada que robar.	☐	☐
11	El clérigo pensaba que en la casa había ratones que se comían el pan.	☐	☐
12	Al final, resultó que el pan se lo comía una culebra.	☐	☐
13	El tercer amo de Lázaro fue un escudero rico.	☐	☐
14	La casa del escudero era oscura y triste.	☐	☐
15	El escudero dejó su tierra porque cometió un delito.	☐	☐
16	El escudero desapareció porque no podía pagar sus deudas.	☐	☐
17	Lázaro pasó bastante tiempo trabajando para un fraile de la Merced.	☐	☐
18	El buldero y el alguacil prepararon un engaño para vender la bula.	☐	☐
19	La gente del pueblo no se impresionó por la representación del buldero y el alguacil en la iglesia.	☐	☐
20	Al final, Lázaro consiguió lo que quería en la vida: un oficio real.	☐	☐

2 Crucigrama. Lee las siguientes definiciones y completa el crucigrama.

1 Cada uno de los capítulos en que se divide este libro.
2 Persona de clase baja, astuto y sinvergüenza, que comete delitos para sobrevivir.
3 Producir un sonido con la boca haciendo que el aire pase entre los labios.
4 Hablar en voz baja normalmente para quejarse de algo o alguien.
5 Prenda de vestir larga, que sirve de abrigo y se lleva sobre los hombros.
6 Hombre que es de familia noble.
7 Dinero, alimento o ropa que se da a los pobres.
8 Pequeños animales roedores.
9 Golpes con los pies.
10 Persona que no puede ver.
11 Fantasma con que se mete miedo a los niños.
12 Hombre que ha recibido las ordenes sagradas.

PROGRAMA DE ESTUDIOS

Temas
Historia
Aventura

Destrezas
Expresar opiniones y sentimientos
Expresar deseos
Expresar probabilidades
Expresar condiciones
Comparar (A)
Describir necesidades en presente y pasado
Describir objetos, lugares y personas del presente y del pasado
Establecer relaciones lógicas entre sucesos
Narrar sucesos del presente y del pasado
Hablar de las rutinas del presente y del pasado
Expresar intenciones y hacer predicciones
Aprender un poco más de la historia y la cultura españolas.
Adecuar la lengua a la situación social

Contenidos
Presente Indicativo
Pretérito Perfecto Simple
Pretérito Indefinido
Pretérito Imperfecto
Imperativo afirmativo y negativo
Presente Subjuntivo
Perífrasis verbales: estar + gerundio, empezar a + infinitivo, acabar de + infinitivo...
Adjetivos y pronombres demostrativos, posesivos e indefinidos.
Pronombres relativos.
Oraciones condicionales simples
Oraciones comparativas
Frases hechas y expresiones idiomáticas
Breve descripción de la historia y cultura de la España del Siglo de Oro